BASILE

ET GORDY LE GÉNIE

Éditions
SCHOLASTIC

Pour Meggy, Ethan, leurs chats et le chiot qu'ils auront un jour, j'espère.

Édition publiée par les Éditions Scholastic, 604, rue King Ouest, Toronto (Ontario) M5V 1E1, avec la permission de Kids Can Press Ltd.

5 4 3 2 1   Imprimé en Chine CP130   11 12 13 14 15

Catalogage avant publication de Bibliothèque et Archives Canada

Spires, Ashley, 1978-
[Binky takes charge. Français]
Basile et Gordy le génie / Ashley Spires ; texte français d'Hélène Rioux.

Traduction de: Binky takes charge.

ISBN 978-1-4431-2044-9

I. Rioux, Hélène, 1949- II. Titre. III. Titre : Binky takes Charge. Français.

PS8637.P57B55214 2012   jC813'.6   C2012-901771-X

Les illustrations ont été réalisées à l'encre, à l'aquarelle, aux poils de chat, avec des miettes de litière pour chat, quelques empreintes de patte et de la salive de chien.

Le texte a été composé avec la police de caractères Fontoon.

Conception graphique de Rachel Di Salle

AUCUN TAPIS N'A ÉTÉ ARROSÉ DURANT LA CRÉATION DE CE LIVRE. IL EST VRAI QU'ON A TROUVÉ UNE BOULE DE POILS DANS LES ESCALIERS, UNE EMPREINTE DE LITIÈRE TOUTE FRAÎCHE ET UNE CROTTE MYSTÉRIEUSE DANS LA CHAMBRE, MAIS C'EST TOUT. SINON, TOUS LES TAPIS SONT SECS, SANS FLAQUES DE PIPI.

BASILE
ET GORDY LE GÉNIE

ASHLEY SPIRES

TEXTE FRANÇAIS D'HÉLÈNE RIOUX

tic tac

TOUT COMMENCE AUJOURD'HUI.

UNE TOUTE NOUVELLE MISSION.

UNE TOUTE NOUVELLE AVENTURE.

UN TOUT NOUVEAU CHAT DE L'ESPACE.

DU MOINS, CE SERA LE CAS QUAND BASILE AURA FINI DE L'ENTRAÎNER.

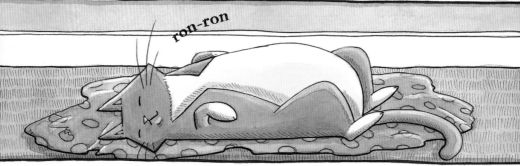

BASILE N'EST PAS UN CHAT DOMESTIQUE ORDINAIRE...

ron-ron

NI MÊME UN BANAL CHAT DE L'ESPACE.

MIIIAAAOUU!

C'EST LE LIEUTENANT BASILE.

PROTECTEUR DES HUMAINS!

grrr!

bing!
bang!

DÉMOLISSEUR D'EXTRATERRESTRES!

prout!

ÉMETTEUR DE GAZ SPATIAUX!

ET DÉSORMAIS ENTRAÎNEUR DE RECRUES POUR LE C.U.E.C.!

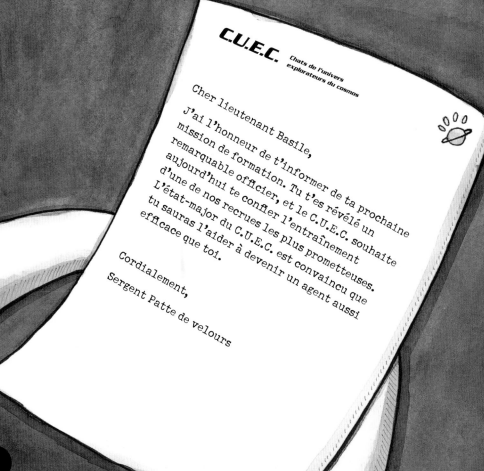

C.U.E.C. Chats de l'univers
explorateurs du cosmos

Cher lieutenant Basile,

J'ai l'honneur de t'informer de ta prochaine
mission de formation. Tu t'es révélé un
remarquable officier, et le C.U.E.C. souhaite
aujourd'hui te confier l'entraînement
d'une de nos recrues les plus prometteuses.
L'état-major du C.U.E.C. est convaincu que
tu sauras l'aider à devenir un agent aussi
efficace que toi.

Cordialement,

Sergent Patte de velours

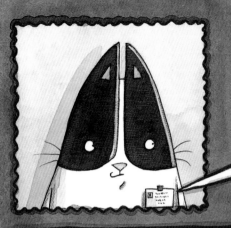

Chat de l'espace certifié

89J43-PW

Nom : Basile
Couleur : Noir et blanc
Poil : Ras
Date de naissance : 12-07-06
Classe : Niveau 4

C.U.E.C. Chats de l'univers explorateurs du cosmos.

LE GRADE DE LIEUTENANT A SES AVANTAGES...

MAIS IL COMPORTE AUSSI LA RESPONSABILITÉ DE FORMER LA PROCHAINE GÉNÉRATION DE CHATS DE L'ESPACE.

UNE RESPONSABILITÉ QUE BASILE PREND **TRÈS** AU SÉRIEUX.

7

QUAND BASILE ÉTAIT UN CHATON DE L'ESPACE, IL N'AVAIT PAS D'ENTRAÎNEUR.
IL A DÛ APPRENDRE À PARTIR DE LIVRES ET DE VIDÉOCASSETTES...

VIDÉO D'ENTRAÎNEMENT :
« COMBATTRE LES EXTRATERRESTRES »

pif!

paf!

mrrr!

POUM!

ET C'ÉTAIT LOIN D'ÊTRE FACILE.

À PRÉSENT, LE C.U.E.C. CONFIE LA FORMATION DES CADETS DE L'ESPACE À DES OFFICIERS EXPÉRIMENTÉS.

MIMI A ENTRAÎNÉ DE NOMBREUX CHATONS DE L'ESPACE.

AVEC SON AIDE, BASILE A PASSÉ TOUTE LA SEMAINE À ÉLABORER UN PLAN DE FORMATION COMPLET POUR LES CHATS DE L'ESPACE.

IL SERA SÉVÈRE, MAIS JUSTE.

IL GARDERA SON SENS DE L'HUMOUR.

LE CADET DOIT ARRIVER D'UN MOMENT À L'AUTRE.

C'EST UNE JOURNÉE TRÈS IMPORTANTE POUR BASILE.

UNE JOURNÉE IMPORTANTE POUR TOUS LES C.U.E.C.

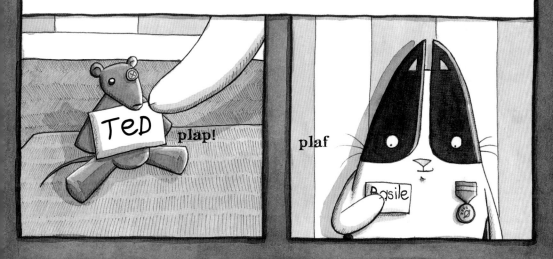

UNE JOURNÉE
IMPORTANTE POUR
LES CHATS DE L'ESPACE
PARTOUT DANS LE MONDE!

DING! DONG!

LE VOILÀ!

Oh! Il est tellement mignon!

Regarde comme il est ébouriffé!

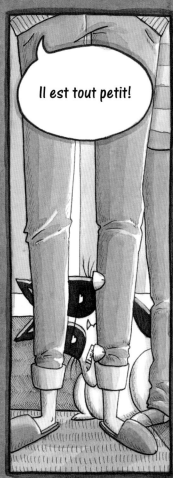

Il est tout petit!

QUELQU'UN A FAIT UNE GROSSE ERREUR.

C'EST UNE BLAGUE?

poc

SLURP!

scratch
scratch
scratch

beurk!

CE N'EST PAS UN CHATON CADET! CE N'EST MÊME PAS UN CHATON!

BASILE A BESOIN DE MIMI!

badoum badoum!

ELLE SAURA CE QU'IL FAUT FAIRE.

scritch
scrotch

smoush

gloup!

frrrtt

ANIMAUX DE COMPAGNIE DE L'UNIVERS
EXPLORATEURS DU COSMOS?

scroutch
scrotch

pof!

CE N'EST PAS VRAI!

NON SEULEMENT BASILE DOIT-IL ENTRAÎNER CETTE CHOSE...

MAIS IL N'EST MÊME PLUS UN CHAT DE L'ESPACE.
IL N'Y A DONC RIEN DE SACRÉ?

frttt frttt

CECI N'EST PAS AMUSANT DU TOUT.

Maman, je crois que Gordy a fait pipi!

tap tap

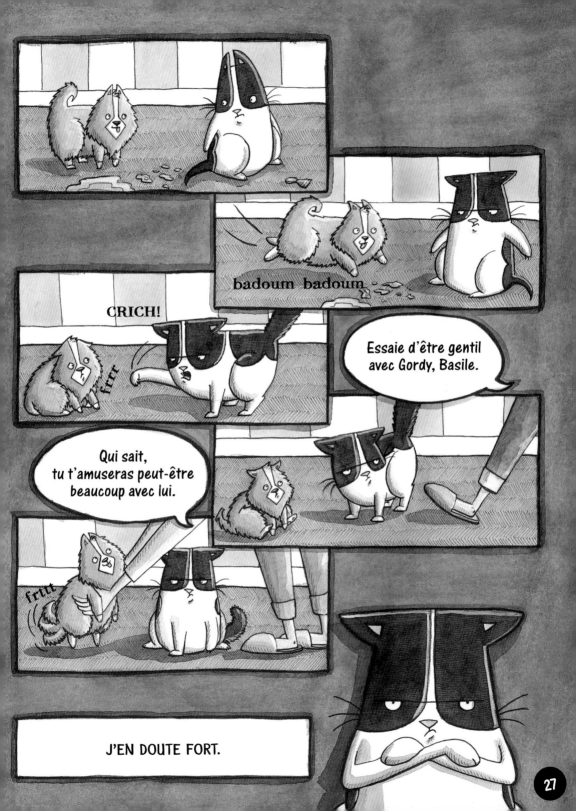

Viens, Gordy, allons dehors.
Tu vas faire ton p'tit pipi.

COMMENT POURRA-T-IL
FAIRE DE CETTE CHOSE UN OFFICIER DE L'A.C.U.E.C.?

cloup

clic

HA! SES HUMAINS AMÈNENT L'IMPOSTEUR DANS L'ESPACE INTERSIDÉRAL!

AVEC UN PEU DE CHANCE, LE VENT EMPORTERA
CETTE BOULE DE FOURRURE PUANTE...

ET BASILE NE LA REVERRA PLUS JAMAIS
DE SA VIE!

OH! ZUT!

SES HUMAINS LUI ONT MIS
UN DISPOSITIF PROTECTEUR
POUR EMPÊCHER LE VENT
DE L'EMPORTER.

LES HUMAINS GÂCHENT TOUJOURS TOUT.

BASILE NE SAIT PAS QUOI FAIRE.

ENTRAÎNER CETTE BOULE HIRSUTE RISQUE D'ÊTRE UN CAUCHEMAR...

MAIS IL NE PEUT PAS DÉSOBÉIR AUX ORDRES, N'EST-CE PAS?

ALORS S'IL ESSAIE DE TRANSFORMER CE CHIEN EN OFFICIER...

BEURK!

ET QU'IL ÉCHOUE, L'A.C.U.E.C. COMPRENDRA QUE C'ÉTAIT UN PROJET VOUÉ À L'ÉCHEC.

SI LE LIEUTENANT BASILE N'ARRIVE PAS À ENTRAÎNER CE MOUILLEUR DE TAPIS, QUI POURRAIT LE FAIRE?

IL SE DONNE UN MOIS, ET SI GORDY N'A PAS FAIT DE PROGRÈS, OU À TOUT LE MOINS S'IL N'EST PAS DEVENU PROPRE, BASILE LE RENVERRA À L'A.C.U.E.C. POUR DE BON!

LE LENDEMAIN, BASILE SUIT L'HORAIRE DU PLAN DE FORMATION.

S'IL SE CONFORME AU PLAN, L'ENTRAÎNEMENT SE PASSERA PEUT-ÊTRE ASSEZ BIEN.

crounch crounch

BURP

6 H LEVER ET DÉJEUNER

schlac!

zoum

6 H 15 COURSE AUTOUR DE LA STATION SPATIALE

7 H SIESTE

8 H 45 PAUSE LITIÈRE

9 H ÉTUDE DU DESIGN D'UNE FUSÉE

11 H SIESTE

13 H FORMATION : ENTRAÎNEMENT AVEC UN FAUX EXTRATERRESTRE

15 H SIESTE

17 H SOUPER

17 H 30 SÉANCE DE CÂLINS AVEC LES HUMAINS

18 H 30 SIMULATION DE COMBAT CONTRE LES EXTRATERRESTRES

MAIS TOUS LES JOURS D'ENTRAÎNEMENT SE RESSEMBLENT.

yip!

POUM!

CE CHIOT N'A AUCUNE COORDINATION.

RIEN DANS LA TÊTE.

psssssssss

ET IL NE SAIT PAS SE CONTRÔLER!

croutch
cratch

miam miam

burp!

BASILE NE PARVIENT PAS À ENSEIGNER LA MOINDRE CHOSE
À CE CADET DE L'ESPACE.

L'ENTRAÎNEMENT DURE DEPUIS PRESQUE DEUX SEMAINES...

... ET GORDY A FAIT TRÈS PEU DE PROGRÈS.

C'EST SANS ESPOIR.

UN **CHIEN** NE PEUT PAS DEVENIR
UN CHAT DE L'ESPACE!

UN INSTANT!

IL N'EST MÊME PAS CAPABLE D'UTILISER
LA LITIÈRE COMME UN ANIMAL CIVILISÉ!

CES EXTRATERRESTRES SONT
MANIFESTEMENT INTÉRESSÉS PAR
LES AFFAIRES DE GORDY.

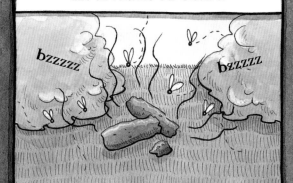

bzzzzz

bzzzzz

TROP INTÉRESSÉS.

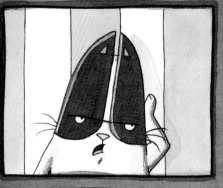

ÇA EXPLIQUE TOUT. PERSONNE NE PEUT ÊTRE AUSSI NUL À MOINS DE FAIRE SEMBLANT!

wooush

BASILE DOIT PARLER À MIMI!

hop

floup

criiic

miaou miaou!

MIMI PENSE AUSSI QUE GORDY EST PEUT-ÊTRE UN ESPION.
CE NE SERAIT PAS LA PREMIÈRE FOIS QUE LA CHOSE SE PRODUIT.*

ACCUSER QUELQU'UN DE TRAHISON EST UNE CHOSE TRÈS SÉRIEUSE.
IL FAUT EN ÊTRE SÛR.

*IL EXISTE UN CAS CÉLÈBRE : UNE BRILLANTE CHATTE DE L'ESPACE
A PRIS LE PARTI DES EXTRATERRESTRES. ELLE A DISPARU DE LA CIRCULATION
ET PERSONNE N'EN A PLUS JAMAIS ENTENDU PARLER.
MAIS C'EST UNE AUTRE HISTOIRE...

wousch

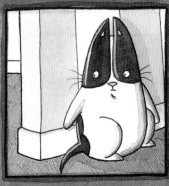

HEUREUSEMENT, BASILE EST UN AS DE LA SURVEILLANCE.

ZIIIIIIP!

smoush squish

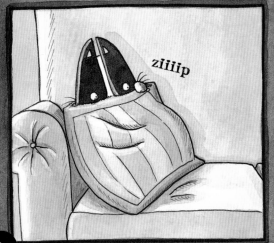
ziiiip

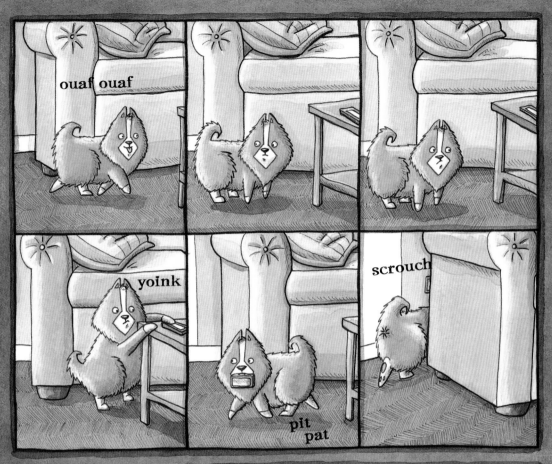

CE FAUX CHAT EST UN ESPION ET UN VOLEUR!

BASILE NE PEUT LAISSER GORDY SOUPÇONNER QU'IL EST SUR SES TRACES...

scritch
scratch

grrr
ouaf

IL POURSUIT L'ENTRAÎNEMENT COMME SI DE RIEN N'ÉTAIT.

zoum!

Gordy!
C'est l'heure du pipi!

drrrring
drrrring

Je ferais mieux
de répondre. Je reviens
tout de suite, Gordy.

hum

HEUREUSEMENT, MIMI NE RELÂCHE PAS SA SURVEILLANCE.

PLUS TARD, BASILE ET MIMI COMPARENT LEURS NOTES.

FAITS :
- nul en tout
- violent avec Ted
- a une drôle d'odeur
- crie trop fort
- est un chien

OBSERVATIONS :
- crotte codée avec des messages secrets destinés aux extraterrestres
- vole des choses aux humains
- désarme les dispositifs anti-extraterrestres
- n'a pas encore attrapé un véritable extraterrestre

TOUTES LES PREUVES INDIQUENT UN TRAÎTRE CANIN.

LE MOMENT EST VENU DE L'AFFRONTER, CHAT CONTRE CHIEN.

LA BOÎTE AUX LETTRES NE SE REFERME PLUS!

LES EXTRA-TERRESTRES L'ONT BLOQUÉE! IL N'Y A RIEN À FAIRE!

BON, OU BIEN CE FAUX CHAT EST UN LÂCHE...

OU BIEN C'EST UN TRAÎTRE.

UNE CHOSE EST SÛRE : CE N'EST PAS UN ANIMAL DE COMPAGNIE DE L'ESPACE!

BZZZZZZ

BZZZZZZZ

BZZZZZZZZZZZZ

ILS SONT SI NOMBREUX!

QUE VONT-ILS FAIRE ?

BZZZZZZ!

Gloup!

Gloup!

LE MOMENT DE L'IMPACT EST ARRIVÉ!

clip clop clip clop

gling

bzzzzzzzz

bzzzz

clic

QUE S'EST-IL PASSÉ?

IL S'EST SERVI D'UN TÉLÉPHONE
CELLULAIRE...

ET D'UN MORCEAU DU PIÈGE À INSECTES...

POUR CRÉER UNE FORCE ANTI-EXTRATERRESTRE PROTÉGEANT
TOUTE LA MAISON.

EN LAISSANT DES TRANSMETTEURS CAMOUFLÉS...

han

bzzz

DANS L'ESPACE INTERSIDÉRAL...

bzzz

grrbzzzdsziiii

GORDY A TRANSFORMÉ LA STATION SPATIALE TOUT ENTIÈRE
EN UN PIÈGE ANTI-EXTRATERRESTRE GÉANT!

GORDY VOUDRAIT BIEN ÊTRE UN SUPER COMBATTANT D'EXTRATERRESTRES COMME BASILE ET MIMI...

MAIS IL N'EST PAS TRÈS DOUÉ POUR SAUTER, ATTAQUER OU GRIFFER.

CEPENDANT, IL EST CAPABLE...

DE SE SERVIR DE SA TÊTE POUR FAIRE DE LA STATION SPATIALE UN ENDROIT SÛR POUR TOUS SES HABITANTS.

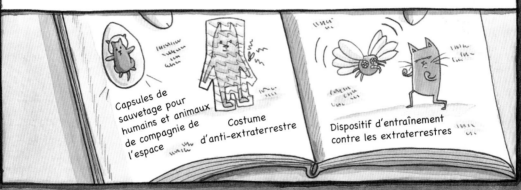

Capsules de sauvetage pour humains et animaux de compagnie de l'espace

Costume d'anti-extraterrestre

Dispositif d'entraînement contre les extraterrestres

slurp!

BASILE S'ÉTAIT TROMPÉ AU SUJET DE CE CADET CANIN.

GORDY EST DEVENU UN ANIMAL DE COMPAGNIE DE L'ESPACE TRÈS EFFICACE...

whirrr

swooush

swish

ET TRÈS UTILE À SON ÉQUIPE.

slurp
chomp

GLOUP!

MÊME SI LA COHABITATION...

zoum!

EXIGE UNE PÉRIODE D'ADAPTATION.

woooush!